石兽

刘朱曈　编绘

重庆出版集团　重庆出版社

从前有一座寺庙，门口有一只石兽。

这个石兽可以辨别谎言。一个人把双手放到石兽嘴里，如果他说了假话，石兽就会咬住他的双手；如果没有撒谎，石兽的嘴巴纹丝不动。

这里的官员不需要办案，他们终日都很清闲，因为只需要把嫌疑人带到石兽这里，便知道他说的是真话还是假话了。

有一个老者，他的一个商人朋友要出远门，就把自己的一罐金子拿来让他保管。

老者看到这罐金子，就动了心思，很想据为己有。

他把自己的手杖挖空，再把金子熔化掉，灌到他的手杖里面，上面用盖子封好，从表面看什么也看不出来。

过了不久，商人回来了，他向老者要回自己的金子，这人却一口咬定金子已经被他取走了。

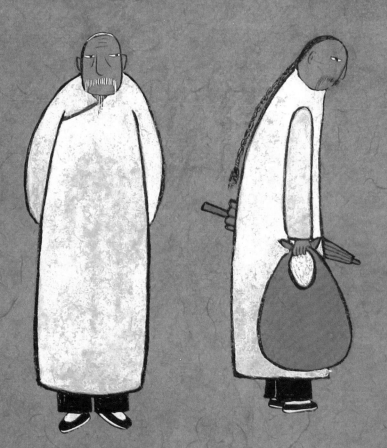

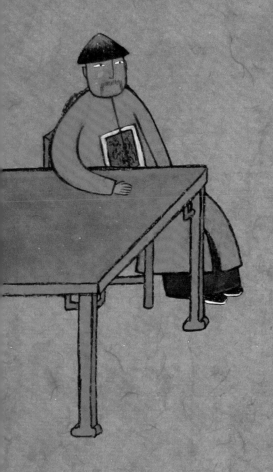
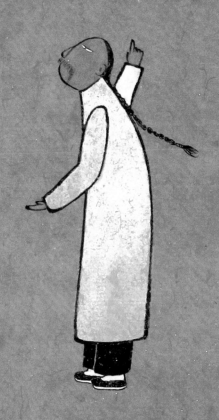

　　商人很愤怒，于是把老者告到官府，知县就把他们带到石兽那里。

17

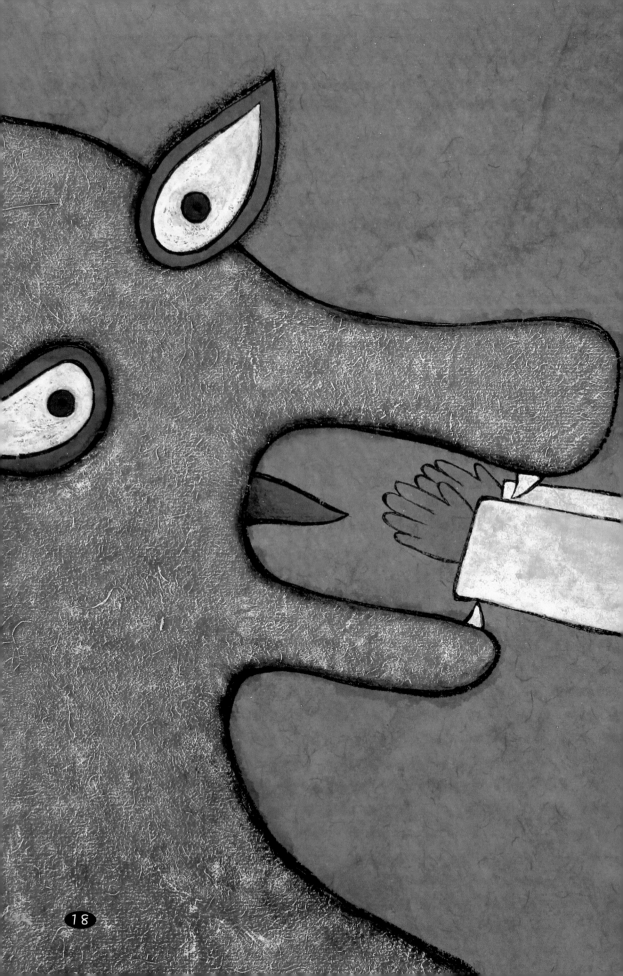

先是商人上前说话，他把双手放到石兽嘴里，说道："我出远门前托老者保管我的一罐金子，回来后他却说已经还给我了。"石兽的嘴巴动也没动。

轮到老者说话了，他把手杖递给商人说："朋友，请替我拿一下手杖，好让我把手放在石兽嘴里。"于是商人接过老者的手杖。

老者把手放在石兽嘴里说："我的商人朋友确实让我替他保管一罐金子，但是我已经把金子还到他手里了。"

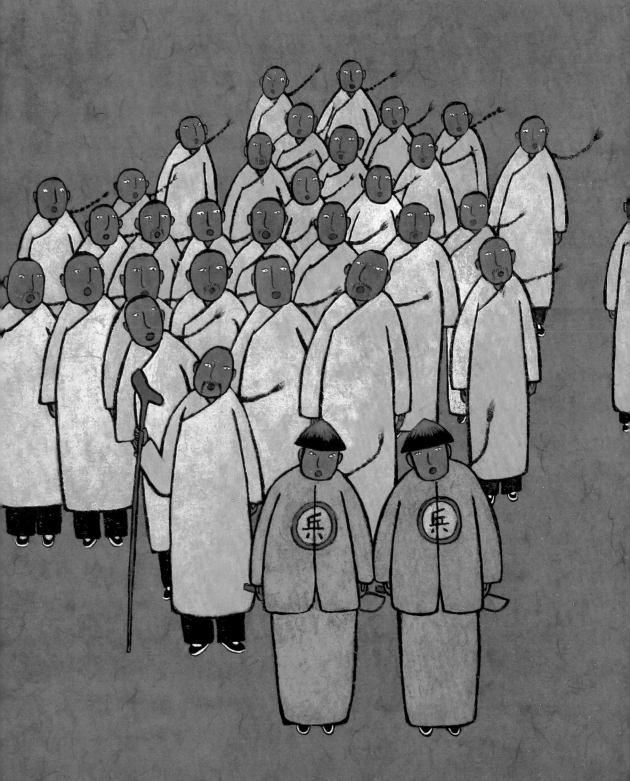

　　所有的人都看着石兽，结果石兽依然动也不动。人们都说："石兽没有用了，石兽也分不清好坏了。"

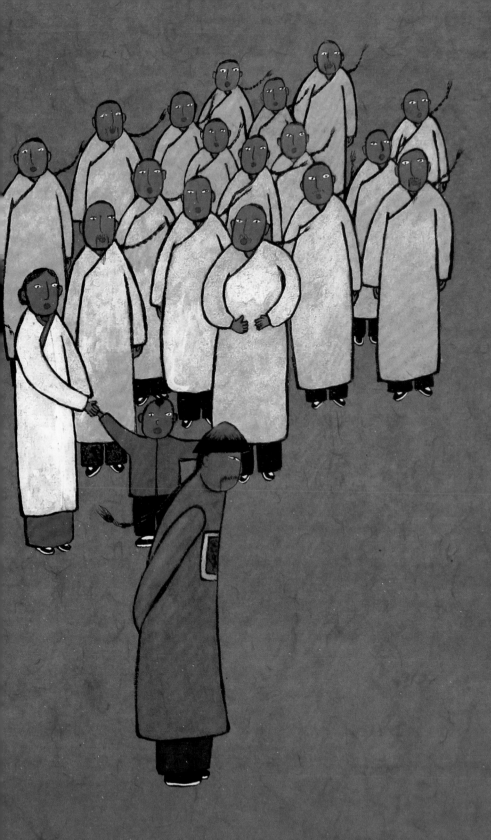

知县觉得很疑惑,他思考了很久,也不知道是什么原因。于是他顺手拿过商人手里的手杖, 让商人又把手放到石兽嘴里, 石兽还是没有动。

又该老者了。这下子手杖在县官手里，老者慌了，他怎么也不敢把手伸进石兽嘴里。

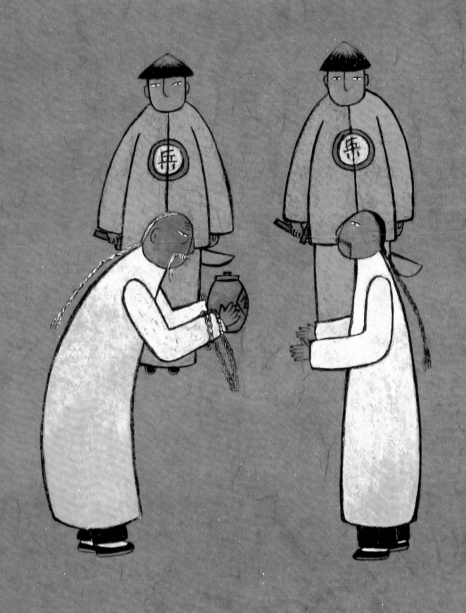

　　真相大白,这个老者受到了惩罚,商人拿回了他的金子。这件事情传开之后,人们更不敢用谎言去骗人了。

图书在版编目（CIP）数据

石兽 / 刘朱瞳编绘 . — 重庆 : 重庆出版社，2018.8
ISBN 978-7-229-13334-4

Ⅰ . ①石… Ⅱ . ①刘… Ⅲ . ①儿童故事－图画故事－
中国－当代 Ⅳ . ① I287.8

中国版本图书馆 CIP 数据核字（2018）第 144373 号

石兽
SHISHOU
刘朱瞳　编绘

责任编辑：周北川
责任校对：李小君
装帧设计：王平辉

重庆出版集团
重庆出版社　出版

重庆市南岸区南滨路 162 号 1 幢　邮政编码：400061　http://www.cqph.com

重庆豪森印务有限公司印刷
重庆出版集团图书发行有限公司发行
E-MAIL：fxchu@cqph.com　邮购电话：023-61520646
全国新华书店经销

开本：787mm×1092mm　1/16　印张：2
2018 年 8 月第 1 版　2018 年 8 月第 1 次印刷
ISBN 978-7-229-13334-4

定价：29.80 元

如有印装质量问题，请向本集团图书发行有限公司调换：023-61520678